Kampioen Superbraaf

Annie van Gansewinkel

Kampioen Superbraaf

Tekeningen van Els van Egeraat

Zwijsen

Bollebooslogo, illustratie achterkant omslag en schutbladen: Gertie Jaquet
Vormgeving: Rob Galema

BIBLIOTHEE**‹**BREDA
Wijkbibliotheek Teteringen
Scheperij 13
tel. 076 - 587?811

NEDERLANDSE
KINDERJURY
2005

Boeken met dit vignet zijn op niveaubepaling geregistreerd en
gecontroleerd door KPC-groep te 's-Hertogenbosch

1e druk 2004

ISBN 90.276.7751.4
NUR 282

© 2004 Tekst: Annie van Gansewinkel
Illustraties: Els van Egeraat
Uitgeverij Zwijsen Algemeen B.V. Tilburg

Voor België:
Zwijsen-Infoboek, Meerhout
D/2004/1919/286

Inhoud

1. Een grote mond

'Allemaal jullie grote mond houden.'
Juf Jess slaat beide handen op haar lessenaar. Met open mond kijkt Sarah haar aan. Wat heeft de juf een grote mond, daar passen wel drie kinderhoofden tegelijk in.

De anderen in de klas babbelen gewoon verder en Sarah stoot met haar elleboog Rozemarijn aan: 'Ze heeft zelf een grote mond.'

Rozemarijn schiet in de lach en blijft lachen, ook als juf Jess op hun tafel afkomt. Ze pakt de taalboeken van Sarah en Rozemarijn en slaat ze heel hard tegen elkaar aan.

Misschien zou ze eigenlijk liever onze hoofden tegen elkaar aan slaan, denkt Sarah.

'Nou is het afgelopen. Stil zijn, iedereen.'

Eén moment is het stil, dan zegt Matthias: 'Ik dacht dat wij voorzichtig moesten zijn met onze boeken.'

Juf Jess kijkt boos naar hem en met haar ogen zegt ze meteen tegen de hele klas: Jullie lachen niet.

Toch lachen ze.

Nu gaat ze uit haar vel springen, dat moest ooit gebeuren. Ze hebben juf Jess pas drie weken, maar ze heeft al zo vaak op het punt gestaan dat te doen.

Zou het als een jasje zijn dat je uitdoet? vraagt Sarah zich af. Sarah wil daar liever niet aan denken. Bij biologie hebben ze de binnenkant van het lichaam

7

nog niet behandeld, maar ze weet bijna zeker dat die er niet zo mooi uitziet als de buitenkant. Die spieren, die botjes en vooral zo veel bloed, ze rilt er bijna van.

Als juf Jess uit haar vel wil springen, moet ze dat maar lekker thuis doen.

Het is of juf Jess dat ondertussen zelf ook heeft bedacht. Nog geen minuut geleden leek het of ze zichzelf aan het oppompen was. Alsmaar boller werd ze en helemaal rood.

Maar nu is het net of ze een beetje lek is. Langzaam zakken haar schouders naar beneden, ze wordt een stukje kleiner en haar bolle wangen lopen leeg.

Sarah merkt dat de anderen het ook zien; iedereen is vanzelf stil geworden.

Er gebeurt iets vreemds in het gezicht van de juf. Dit heeft Sarah in die drie weken nog nooit gezien. De juf beweegt haar mond, zodat die heel breed wordt. Ze glimlacht. Het lijkt wel of de juf lacht!

Sarah voelt dat ook de andere kinderen hun adem inhouden. Wat is er met hun juf aan de hand en wat gaat er gebeuren?

Juf ziet er bijna eng uit als ze lacht. Bovendien, is die lach wel echt? Komt er dadelijk niet weer iets heel naars uit die grote mond?

Was hun lieve juf Sabine maar terug. Dat gebeurt jammer genoeg pas na de zomervakantie.

Juf Jess gaat aan haar lessenaar zitten en kijkt de klas rond. Steeds is er die glimlach om haar lippen en nog altijd is het muisstil.

'Ik heb een bijzonder leuke verrassing voor jullie.'

Dat belooft niet veel goeds. Als de juf zoiets zegt,

9

krijgen ze proefwerk, strafwerk, ze moeten nablijven of er gebeurt iets anders vervelends. Niemand durft een woord te zeggen, zelfs Matthias houdt zijn mond.

'Ik heb een wedstrijd voor jullie bedacht. De wedstrijd is nú begonnen. Jullie krijgen tien dagen de tijd om punten te verzamelen. Volgende week vrijdag wordt de prijswinnaar bekend. Dan weten we wie in jullie klas is geworden ...' Juf zwijgt even. Dat doet ze om de spanning groter te maken, weet Sarah.

'... Kampioen Superbraaf.'

Alsof alle kinderen samen één grote mond hebben, komt er een enorme zucht: 'Phhhh ...'

Tegelijk kijkt iedereen naar Aafje. Die gaat het vast winnen, dat weten ze nu al. 'Aafje-Braafje', zo noemen ze haar vaak.

Aafje houdt altijd als eerste haar mond als de juf om stilte brult. Wanneer ze allemaal strafregels moeten schrijven, schrijft Aafje er minstens tien extra.

'Voor de zekerheid,' zegt ze dan, 'voor als ik soms niet goed geteld heb. Of als een regel niet meetelt omdat ik die slordig heb geschreven.'

Grote onzin is dat, want Aafje telt nooit verkeerd en ze schrijft nooit slordig.

'Winnen kunnen wij wel vergeten,' zegt Matthias.

'Jullie kunnen allemaal winnen, jullie hebben evenveel kansen. Luister goed, dit zijn de spelregels.

Elke middag hebben we een kringgesprek, waarin jullie de tussenstand horen, en vrijdag over een week is de einduitslag. Dan zullen we dus weten wie de Kampioen Superbraaf is. Het gaat er natuurlijk om wie de meeste bonuspunten heeft verzameld.

Hoe kun je bonuspunten winnen? Natuurlijk moet je daarvoor goede dingen doen, brave dingen, leuke dingen voor andere mensen. Het gaat om dingen die ik op school zie en die je zelf vertelt in het middagkringgesprek. Maar let op: als je jokt, krijg je strafpunten. Je kunt ook bonuspunten verdienen, als je vertelt dat iemand anders jokt of iets verkeerds heeft gedaan. Dat is heel eerlijk: de een strafpunten, de ander bonuspunten.'

'En de prijs, juf, wat is de prijs?' wil Matthias weten.

'Dat blijft nog even een verrassing.'

'Ah juf,' klinkt het van alle kanten. Ze beginnen allemaal door elkaar te praten. Over wat ze gaan doen om de wedstrijd te winnen. Over hoe de juf alles kan weten wat ze doen.

Dan komt uit haar heel grote mond een schreeuw: 'Stil nu, jullie willen toch zeker allemaal Kampioen Superbraaf worden.'

2. De bejaardenwandeldienst

'Ik heb een goed plan voor vanmiddag,' zegt Sarah na school tegen Rozemarijn.

'Een plan waarvoor?'

'Hoe we Kampioen Superbraaf kunnen worden, natuurlijk.'

Dat Rozemarijn dat alweer vergeten is.

'Zorg dat je om twee uur bij de ingang staat van bejaardenhuis Het Anker. Je weet toch waar dat is?'

Rozemarijn knikt.

'In de straat waar juf Jess woont,' zegt Sarah er achteraan.

'Wat heeft dat er in 's hemelsnaam mee te maken?'

'Alles,' antwoordt Sarah en verder houdt ze haar mond stijf dicht. De rest hoort Rozemarijn vanmiddag vanzelf wel, anders vergeet ze het voor die tijd natuurlijk toch weer.

'Kijk, dat is mijn vriendin Rozemarijn.' Sarah buigt zich even naar mevrouw Kruisdonk. Ze weet niet of haar stokoude buurvrouw van vroeger alles verstaat. Maar ze had dankbaar 'ja' gezegd toen Sarah haar had gevraagd of ze mee uit wandelen wilde.

De mevrouw van het bejaardenhuis vond het ook goed: 'Mevrouw Kruisdonk komt niet zoveel meer buiten. Ze kan moeilijk alleen met haar rolstoel overweg. Heel lief dat jij haar op je vrije woensdagmiddag

12

mee uit wilt nemen. Zo, we zullen u goed inpakken. Het is mooi weer, maar het is nog maar februari.'

Een beetje overdreven, denkt Sarah, het is de laatste dag, de allerlaatste zelfs, de negenentwintigste, want het is een schrikkeldag. Maar één keer in de vier jaar heeft februari negenentwintig dagen in plaats van achtentwintig.

Tegen Sarah had ze gezegd: 'Zul je wel voorzichtig rijden, niet te ver weg gaan en goed opletten bij het oversteken?'

Sarah duwt de rolstoel in de richting van Rozemarijn. 'Hoi Rozemarijn, dit is mevrouw Kruisdonk, weet je nog, onze oude buurvrouw. Nou ja, u bent niet oud, maar u was eerst onze buurvrouw, dat bedoel ik,' legt Sarah uit.

Mevrouw Kruisdonk kijkt haar alleen glimlachend aan.

'Waarom doe je dit?' wil Rozemarijn weten.

'Dit is mijn goede plannetje.'

Op het gezicht van Rozemarijn staan alleen maar vraagtekens te lezen.

'Ik ga lekker wandelen met mevrouw Kruisdonk.'

'Voor de wedstrijd van Kampioen Superbraaf?'

'Natuurlijk. Wij beginnen met een bejaardenwandeldienst. Het is altijd heel goed als je andere mensen een plezier doet. Dat wil jij toch zeker ook wel?'

Daar moet Rozemarijn eerst even over nadenken, maar al snel knikt ze.

'Nou dan, jij kent misschien ook iemand in dit bejaardenhuis die in een rolstoel zit.'

'Mijn oma.'

'Waar wacht je nog op? Ga haar halen. Ik blijf hier in de buurt en dadelijk wandelen we gezellig samen.'

'Oké.' Rozemarijn is de ingang al binnengegaan.

Meteen begint Sarah te lopen, langs het plantsoen in de richting van de volgende flat. Bij het bellenbord blijft ze naar de namen kijken. Daar ... J.J. Keurs, dat is juf Jess. Op de derde verdieping woont ze.

Sarah loopt terug naar de stoep en speurt de derde verdieping af.

'WOE ... OE ... OE,' brult ze, zo hard dat mevrouw Kruisdonk haar beide handen tegen haar oren duwt.

Het helpt, want overal verschijnen hoofden voor de ramen. Daar is gelukkig ook al het hoofd van juf Jess. Sarah begint wild te zwaaien met haar armen en pakt de armen van mevrouw Kruisdonk vast. 'Zwaai dan naar mijn juf, ze moet u ook goed zien.'

De oude armen kunnen jammer genoeg maar kleine zwaaitjes maken.

'Nou gaan we weer.' Met een wilde draai sleurt Sarah de rolstoel de andere kant op.

Waar blijft Rozemarijn toch?

Sarah heeft al vijf keer de rolstoel van het stoepje voor de ingang af laten rijden en nog is Rozemarijn er niet.

'Leuk spannend, hè?' vraagt ze aan mevrouw Kruisdonk. Die kan het niet eens zien, want ze zit de hele tijd met haar handen voor haar ogen. Dan gaan ze maar weer naar het plantsoen.

'Hè, hè, ben je daar eindelijk?'

Sarah heeft zich omgedraaid toen ze een boze vrou-

wenstem achter zich hoorde. Rozemarijn duwt nu ook een rolstoel, maar er zit geen kalme, lieve vrouw in, zoals mevrouw Kruisdonk. Sarah ziet armen en benen wild bewegen en er klinkt een luide stem: 'Breng me onmiddellijk terug, Rozemarijn.'

Rozemarijn haalt haar schouders op en loopt door.

'Ik heb je gezegd dat ik niet naar buiten wil.'

'Dat is goed voor u,' probeert Sarah.

'Wie ben jij? Is dat jóuw kleinkind, Bea?' vraagt ze aan mevrouw Kruisdonk. 'Ik laat me niet ontvoeren door zo'n wurm.'

Mevrouw Kruisdonk zegt glimlachend: 'Ik vind het wel leuk.'

'Rozemarijn, je brengt me terug, meteen. Ik was juist zo gezellig op de computer aan het chatten.'

Rozemarijn kijkt Sarah aan of ze wil vragen: 'Wat moet ik nu doen?'

'Vervelend kind, breng me terug, anders ga ik gillen.'

'Je moet het zelf weten, Rozemarijn,' zegt Sarah, 'maar wandelen met ouderen levert je natuurlijk wel veel punten op voor de wedstrijd.'

'Wedstrijd, wedstrijd? Ik ga gillen. IIIIIIEEE.'

De sirene van elke eerste maandag van de maand is er een lieflijk toontje bij.

'Wat is hier aan de hand? Ophouden.'

De mond van Rozemarijns oma is dichtgeklapt. Juf Jess staat voor hen.

'Ik wou alleen leuk met mijn oma gaan wandelen, maar ze wil niet.'

'Ik maak altijd nog zelf uit of ik naar buiten ga.'

Rozemarijns oma knikt erbij en draait aan de wielen van haar rolstoel. Voordat Sarah en Rozemarijn het goed en wel in de gaten hebben, is ze de ingang van het bejaardenhuis alweer in gekard.

Rozemarijn loopt achter haar aan: 'Sorry oma, oma, oma, het spijt me, sorry hoor, oma.'

Juf Jess zegt niets.

'Kom mee, mevrouw Kruisdonk, wij gaan wel lekker wandelen, mooi weertje, dag juf, tot morgen.'

Met grote stappen duwt Sarah de rolstoel vooruit, het plantsoen voorbij, de hoek om.

Daar kijkt ze om zich heen. Juf Jess is nergens meer te zien.

'Mevrouw Kruisdonk, ik ga u nu weer terugbrengen, want ik heb nog andere dingen te doen.'

'Dat is goed, kind.'

Zie je wel, ze vindt het helemaal niet erg dat het zo'n superkorte wandeling was.

3. De prijzen van de wedstrijd

'Wat zitten jullie me allemaal stom aan te kijken,' zegt de juf.

Sarah kijkt rond, ze snapt niet waarom de juf nu zo bozig doet. Alle kinderen zitten even braaf glimlachend te wachten tot juf Jess vertelt wat de prijzen zijn in de wedstrijd van de Kampioen Superbraaf.

'Ik hou niet van beleefde grijnsjes. Denk niet dat het zo gemakkelijk is om de wedstrijd te winnen. Even poeslief zijn en daar trapt juf Jess wel in? Vergeet het maar.'

Niemand glimlacht meer, ziet Sarah, als ze om zich heen kijkt. Alle gezichten staan ernstig, maar een wedstrijd zou toch leuk moeten zijn?

'Over de prijzen heb ik het dadelijk, maar nu eerst de punten tot nu toe. Wie denkt dat hij al punten heeft verdiend? Sarah, vertel maar eens aan de klas wat jij bedacht had.'

Sarah gaat rechtop zitten. 'Nou, ik heb een bejaardenwandeldienst bedacht, voor oude mensen die zelf niet meer zo gemakkelijk naar buiten kunnen.'

Trots kijkt ze de klas rond en dan naar de juf. Juf Jess trekt een gezicht of ze iets heel leuks gaat zeggen. Sarah heeft zeker veel punten verdiend met haar actie.

'Alleen jammer voor jou, Sarah, dat het gisteren 29 februari was, schrikkeldag. Ik vind dat die dag niet

18

echt meetelt, tenminste niet voor de goede punten. Jij krijgt dus geen bonuspunten.

Voor de strafpunten moet ik de dag natuurlijk wel meetellen, Rozemarijn. Jij hebt je oma tegen wil en dank mee naar buiten genomen en dat levert je vijfentwintig strafpunten op.'

'M ... maar ...'

Als Rozemarijn nu maar niet zegt dat het Sarahs idee was, het is erg genoeg dat ze geen bonuspunten krijgt. Strafpunten kan ze al helemaal niet gebruiken. Rozemarijn blijft alleen stamelen en het geduld van de juf is, zoals altijd, snel op.

'Dan nu ... de prijzen. De derde prijswinnaar mag een keer gezellig bij mij komen eten. De tweede prijs is een dagje uit naar een speeltuin en je mag een paar kinderen meenemen.'

Dat is een leuke prijs. Natuurlijk zal Sarah Rozemarijn meevragen, en misschien Matthias.

'De eerste prijs, voor de Kampioen Superbraaf, is natuurlijk ook een superprijs: een geheel verzorgd weekeinde voor vier personen.'

Papa, mama, Renzo en zij, dat zou mooi zijn als ze de familie daarmee kan verrassen.

'Waar? Waar?' roepen enkele kinderen.

'Dat blijft voorlopig een verrassing. Zo, dan moet ik nu nog iets belangrijks vertellen,' gaat juf Jess verder.

'Ik kan natuurlijk niet alles zelf in de gaten houden en jullie weten ook niet alles van elkaar. Daarom heb ik nog iets leuks, vooral voor dingen die jullie buiten schooltijd uitspoken: de geheime jury!'

Juf Jess zwijgt.

Dat klonk dreigend. Sarah moet er niet aan denken. Stel je voor dat gisteren een geheim jurylid had gezien dat ze mevrouw Kruisdonk bijna meteen weer had teruggebracht.

'Spionnen dus,' roept Joesoef.

'Noem het zoals je wilt. Het zijn mijn helpers om de wedstrijd eerlijk te laten verlopen. Niet zo achterdochtig, dom dat je dat niet begrijpt. Reken maar dat die geheime jury er altijd en overal is.'

Juf lacht, maar bij Sarah trekt een rilling over haar rug, alsof het ineens ijskoud wordt.

4. De geheime jury

'Daar staat er een, ik weet het zeker.' Joesoef wijst met zijn ogen naar een oudere man bij het huis naast de school.

Sarah en Rozemarijn draaien hun hoofd meteen om.

'Niet zo dom kijken, dan heeft hij het door. Dat wij hem dóórhebben, bedoel ik,' zegt Joesoef.

Sarah draait haar hoofd meteen terug, Joesoef heeft gelijk.

'Waarom denk je dat hij bij de geheime jury hoort?'

'Je hebt toch wel gezien hoe streng hij naar ons keek.'

'We deden niets verkeerds,' zegt Rozemarijn.

'Dat klopt, maar hij zou alles meteen doorbrieven aan juf Jess, dat weet ik zeker.'

Matthias staat erbij alsof het hem allemaal niet kan schelen.

'Wat denk jij?' vraagt Sarah hem.

'Jury of niet, wat is het verschil? Ik zie die hele wedstrijd niet zitten, ik maak helemaal geen kans om te winnen.'

'Je kunt in elk geval je best doen om zoveel mogelijk bonuspunten te halen. Of zo weinig mogelijk strafpunten,' zegt Sarah er achteraan. Ze weet ook wel dat het voor Matthias lang niet zo gemakkelijk is als voor Aafje-Braafje om bonuspunten te halen.

21

Matthias haalt zijn schouders op: 'Het maakt niets uit of ik iets verkeerds doe of niet. Ik krijg toch altijd de schuld. Ik begin niet eens aan die stomme wedstrijd.'

Het zijn stoere woorden, maar het klinkt zielig.

'Je kunt het toch ...'

Proberen, wil Sarah zeggen, maar ze weet dat haar woorden niet zullen helpen.

'Ik ben normaal ook niet zo'n superbraaf kind,' zegt ze, 'maar ik ga wel proberen die wedstrijd te winnen.'

'Het lijken leuke prijzen, maar dat zijn het misschien toch niet. Het zou mij niet verbazen als juf Jess daar iets vervelends bij verzint.'

'Jij moet niet altijd zo mopperen,' zegt Sarah tegen Matthias. 'Als je van tevoren denkt dat het je niet lukt, lukt het ook niet.'

'De man is weg,' zegt Joesoef, terwijl hij wijst naar de plaats waar hij zojuist stond.

'Niet waar,' fluistert Matthias, 'hij staat vlak achter je.'

Joesoef schrikt en kijkt om.

Rozemarijn stapt naar de man en kijkt hem vriendelijk aan: 'Dag meneer, zit u in de geheime jury?'

Typisch Rozemarijn, denkt Sarah, alsof die man dat eerlijk zou zeggen.

'Geheime jury, geheime jury?' herhaalt hij, 'daar weet ik niets van.'

Zie je wel, hij doet of hij van niets weet.

'Zie je wel, niks aan de hand,' zegt Rozemarijn.

De man blijft staan. Sarah wil vertellen over haar plan om punten te scoren. Ze praat hard en hoopt dat hij het kan verstaan.

'Ik heb een goed idee. Wie gaat er straks mee om de padden te helpen oversteken?'

Matthias schiet in de lach: 'Padden helpen oversteken? Bedoel je die glibberige, lelijke beesten? Ben jij soms verkeersbrigadier voor padden?'

Sarah zucht en daarna legt ze het heel geduldig uit: 'In het voorjaar zoeken de padden het water op om daar eitjes te gaan leggen. Dan steken ze de weg over, bij de dijk bijvoorbeeld, maar heel veel padden halen de overkant niet. Die worden door fietsen, brommers en auto's overreden. Elk jaar rond deze tijd helpen vrijwilligers 's avonds die padden een handje. Ze verzamelen ze in emmers of pakken ze op en zetten ze veilig aan de overkant.'

Rozemarijn staart voor zich uit en rilt. 'Ik durf niet eens naar zo'n eng beest te kijken, dus oppakken al helemaal niet.'

'Ook niet als je er veel punten mee kunt verdienen? Je hebt natuurlijk al strafpunten gekregen, je kunt die bonuspunten goed gebruiken.'

'Dat is waar. Oké, ik doe mee.'

'En ik,' zegt Joesoef.

'Ik kom ook. Maar alleen voor de gezelligheid, niet voor de punten,' zegt Matthias.

'Goed, om halfzeven bij de dijk, aan het begin van de Veerweg,' beslist Sarah. 'En als je niet alleen mag, ouders mogen ook meehelpen. Tot straks.'

5. Paddentrekhulp

'Gaan jullie maar alvast de klas in, ik kom zo. Ik moet nog even iets met de directeur regelen. Denk eraan: stil zijn.'

Juf Jess maakt de deur van hun klaslokaal open en ze stormen naar binnen.

Door een brul achter hun rug staan ze allemaal ineens stokstijf: 'Wat zei ik nou, stil zijn!'

Bijna op hun tenen sluipen ze naar hun plaats. Dadelijk hebben ze het middagkringgesprek over de wedstrijd. Sarah is benieuwd hoeveel punten ze krijgen voor hun paddentrekhulp.

Er waren gisteren een stuk of vijftien vrijwilligers, zes kinderen en de rest volwassenen. Toen Sarah de eerste pad oppakte, vond ze het wel een beetje eng, bij de tweede ging het al beter en bij de volgende dacht ze er niet eens meer over na.

'Waar was jij?' had ze vanmorgen meteen aan Rozemarijn gevraagd.

'Helemaal vergeten,' had Rozemarijn gezegd. 'Toen ik eraan dacht, was het al bijna halfacht en mocht ik niet meer de deur uit van papa en mama.'

'Pech voor je, ik denk dat we er veel bonuspunten voor krijgen,' had Sarah tegen haar gezegd.

'Ik heb ontdekt wie in de geheime jury zit,' fluistert Renske.

'Wie dan?' roepen bijna alle kinderen tegelijk.

'De kassajuffrouw van de super, die ene met dat superblonde haar en die paarse lok.'

Ze zijn er één moment stil van.

'Hoe weet je dat?' willen enkele kinderen weten.

'Ze keek me gisteren zo akelig aan. Ik deed heel aardig boodschappen voor onze oude buurman. Stom hè, ik had helemaal niets verkeerds gedaan en toch kreeg ik een rood hoofd. Ze bleef maar kijken, ook toen ik naar buiten liep.'

'Dat wordt voortaan oppassen in de super,' roept Matthias. 'Denk eraan, dus niet meer stiekem alvast een snoepje uit de zak halen als je voor de kassa staat te wachten en nog niet hebt betaald.'

'Ik heb een ander geheim jurylid ontdekt,' zegt Valentijn, terwijl hij zacht begint te praten. 'De postbode van onze wijk. Pas op, als de postbode met het kale hoofd in de buurt is. Je hebt zo strafpunten te pakken. Hij komt bij elk huis en hij ziet alles, weet alles, hoort alles.'

Valentijn zwijgt en iedereen houdt zijn mond, tot Timo begint te roepen: 'Ik heb nog een geheim jurylid opgespoord.' Even wacht hij en dan zegt hij er achteraan: 'De directeur van het ziekenhuis. Die keek mij gisteren zo heel speciaal aan, hij loerde echt of ik iets verkeerds deed.'

'Wat een onzin,' Joesoef is overeind gesprongen. 'Dat is mijn vader.'

'Waarom kan jouw vader geen geheim jurylid zijn?' Timo is ook gaan staan.

'Dan zou ik het toch zeker wel het beste weten.'

'Natuurlijk niet, geheim is nu eenmaal geheim.'

26

'Mijn vader heeft geen geheimen, dat weet ik zeker.' Joesoef gilt het bijna.

'Ja Joesoef, strafpunten.' Juf Jess staat in de deuropening, het is alsof er vlammen uit haar ogen schieten.

Alle leerlingen blijven precies zo zitten als ze zaten. Joesoef en Timo staan doodstil naast hun tafel. Stap voor stap dendert juf Jess naar haar lessenaar.

'Allemaal hebben jullie gepraat, behalve Aafje, dat betekent twintig strafpunten voor jullie allemaal!'

Behalve Aafje, natuurlijk.

'Pak je stoel, maak een kring.'

Heel voorzichtig pakt iedereen zijn stoel. Als iemand per ongeluk tegen een tafel stoot, klinkt dat als een donderslag.

Juf pakt een groot vel papier van haar tafel, dat is de wedstrijdpuntenlijst. Ze begint de strafpunten op te schrijven achter iedere naam, behalve achter die van Aafje natuurlijk.

'Dan heb ik nu de punten van de geheime jury.'

Juf wacht, de klas ook.

'Helaas kan ik geen bonuspunten uitdelen, alleen strafpunten. Het valt me erg van jullie tegen.'

Toch kijkt juf erbij of ze dat helemaal niet erg vindt.

'Timo 25 strafpunten, Renske 20, Jorn 18, Joesoef 14, Sarah 13 1/2, Matthias 11, …'

De rest hoort Sarah niet. Wanneer, waarom, hoe?

'Wanneer, waarom, hoe, juf?' Matthias durft het te vragen.

'Dat is natuurlijk geheim, je weet zelf het beste wat je gisteren of vanmorgen verkeerd hebt gedaan. Hou-

den jullie je maar niet van de domme.'

Voordat iemand iets kan zeggen, praat de juf verder. 'Oké, misschien heeft iemand van jullie nog iets goeds gedaan. Wie denkt dat hij of zij bonuspunten heeft verdiend?'

Eerst durft niemand een vinger op te steken, maar dan wil Sarah toch vertellen over hun paddentrekhulp.

'Dat lijkt me inderdaad een goede daad, vooruit zeven bonuspunten voor wie heeft meegeholpen.'

Zeven punten maar, daar kan Sarah toch nooit al die strafpunten mee wegwerken?

'Wie heeft meegedaan, vingers, snel?'

Joesoef, Matthias en Sarah steken hun vingers op, maar ook Rozemarijn. Rozemarijn? Sarah kijkt haar verbaasd aan.

'Jij ook, Rozemarijn?' vraagt de juf.

'Niet gisteravond, toen was ik het vergeten. Maar ik ben net tussen de middag even naar de dijk geweest. Er zaten wel tien padden in de zon, ik heb ze allemaal netjes naar de overkant gebracht.'

'Welke overkant?' vraagt de juf.

'Naar de andere kant van de weg, dus.'

'Naar de kant van het water?'

'Nee, daar zaten ze, naar de kant waar de huizen staan.'

'Geweldig, fantastisch, wat een goede daad,' zegt de juf met een vreemd lachje, en dan boos: 'Sufkop, je hebt ze naar de verkeerde kant van de weg teruggebracht.'

Net iets voor Rozemarijn, denkt Sarah, maar vanbinnen moet ze wel een beetje lachen.

29

Vanavond gaan ze gewoon wéér de padden overzetten.

'Voor de kinderen die even snel punten willen verdienen: als jullie vanavond die padden weer naar het water brengen, krijg je daar natuurlijk geen bonuspunten meer voor. Ik blijf niet aan de gang. En jij, Rozemarijn, je begrijpt dat het je alleen maar strafpunten oplevert: 45.'

'45?' gaat het als een zucht door de klas. Dan kun je met de beste wil van de wereld nooit meer winnen.

Rozemarijn kijkt beteuterd tot de juf begint te lachen. 'Weet je wat, ik schrap die strafpunten, je krijgt vijf bonuspunten, want je laat me wel lachen. Wat een mop: padden overzetten naar de verkeerde kant van de weg. Van de wal in de sloot, of liever omgekeerd, de zee naar het water dragen, hahaha.'

Juf is de enige die lacht.

6. De belcontroledienst

'Joehoe, ik kom naar beneden,' heeft Rozemarijn zojuist geroepen door het luidsprekertje bij de bel.

Waar blijft ze nou? Sarah zet enkele stappen achteruit, kijkt omhoog langs de flat en telt de verdiepingen. Maar bij zeven raakt ze de tel al kwijt. Zoveel balustrades, ontelbare ramen en deuren, ze zijn allemaal hetzelfde. Ze weet dat Rozemarijn op de achtste verdieping woont en dat is nog niet de bovenste.

'Ik verzin een mooi plan, waar we een heleboel punten mee kunnen scoren,' had ze gisteren na school tegen Rozemarijn gezegd. 'Ik kom je morgen om tien uur ophalen.'

'Jullie hebben een heel weekeinde om veel punten te verdienen voor de wedstrijd van Kampioen Superbraaf,' zei juf Jess gistermiddag.

Rozemarijn vond het meteen een goed idee om vandaag samen punten te gaan verzamelen.

Maar nu is het tien uur en Sarah heeft nog steeds niets kunnen bedenken.

'Hé,' hoort ze achter zich, 'wat sta jij naar die bellen te staren, is het interessant?'

Ze kijkt om en ziet Matthias.

'Hoi, nee, ik zoek een goed idee voor de wedstrijd. Een goede daad, doe je mee?'

'Ikke? Ik doe niet mee aan die stomme wedstrijd, ik ga nog liever belletje trekken.'

31

'Dove, kun je niks terugzeggen? Ik heb al drie keer "hoi" gezegd.' Rozemarijn staat haar beledigd aan te kijken.

'Nu weet ik het!' Sarah maakt er een sprongetje bij. Matthias en Rozemarijn snappen er niets van.

'Mijn plan waar we heel veel punten mee kunnen halen.'

Ze kijkt omhoog naar de flat en dan naar de andere flats die vlakbij staan. Ze wijst en probeert uit haar hoofd een rekensom te maken, bij elke verdieping zijn acht deuren, maal zoveel verdiepingen, dus dat zijn …

'Zeg dan.' Rozemarijn zwengelt aan haar arm.

'Een belcontroledienst, we richten een belcontroledienst op.'

'Belcontroledienst?' Matthias en Rozemarijn vragen het op precies hetzelfde ogenblik.

'We bellen bij de mensen aan …'

'Lekker belletje trekken dus,' zegt Matthias.

'Neehee, want dan loop je weg,' antwoordt Sarah.

'Nogal wiedes, anders worden ze kwaad.'

'Op ons worden ze niet kwaad, want wij helpen hen. Wij controleren of hun bel het doet. Het is heel vervelend, als je bel het niet doet en je weet het niet. Dan vraag je je misschien af waarom er nooit meer iemand op bezoek komt, maar dat komt alleen doordat de bel het niet doet. De mensen zullen ons dankbaar zijn. Moet je zien, deze flat, die flat en die flat. Stel je voor dat we één punt krijgen voor elke deurbel die we testen … wow.'

Matthias haalt zijn schouders op: 'Ik heb al gezegd dat ik niet meedoe. Veel succes,' en hij loopt weg.

Rozemarijn kijkt haar enthousiast aan: 'Ik doe graag mee, ik kan die punten goed gebruiken. Maar wat moet ik doen?'

'Kom maar met mij mee, ik laat je wel zien hoe het moet. We beginnen met jouw flat, goed?'

Ze nemen de trap naar de eerste galerij.

'Zal ik hier aanbellen?' vraagt Rozemarijn bij de eerste deur.

'Nee, we beginnen achteraan en dan werken we zo naar de uitgang,' beslist Sarah.

Rozemarijn haalt haar schouders op: 'Jij weet dat het beste.'

Bij de achterste deur belt Sarah aan. Eerst gebeurt er niets, maar dan gaat de deur op een kier. Een oude mevrouw kijkt hen vragend aan.

'Wij zijn van de belcontroledienst. Wij komen controleren of uw bel het doet. En hij doet het, tot ziens.'

'Tot ziens, dank jullie wel.' De vrouw knikt hen vriendelijk toe.

'Kijk, zo gemakkelijk is het nou,' zegt Sarah tegen Rozemarijn.

'En als ze niet opendoen?' wil Rozemarijn weten.

'Dan zijn ze niet thuis. Of hun bel doet het niet. Dat is pech voor ze, want daar komen ze op die manier nooit achter.'

'Maar tellen die ook niet mee voor onze punten?'

'Natuurlijk wel, wij hebben toch aangebeld, wij hebben ons werk goed gedaan.'

'Oké, ik snap alles.'

'Jij kunt beter een van de andere flats nemen, anders lopen we elkaar maar in de weg. Ik ga gauw hier verder, dag, succes.'

Rozemarijn knikt en loopt de galerij af naar de lifthal. De volgende deur blijft dicht voor Sarah. Bij de volgende gaat na lang wachten de deur wel open. Een slaperig hoofd boven een pyjama piept uit de deuropening. Ze krijgt niet eens de kans om haar verhaal af te maken.

'Moet je me daarvoor wakker maken?' en meteen slaat de deur met een boze klap dicht.

Nou zeg, als het zo moet. Ze wil alleen helpen.

Langzaam loopt ze langs de deuren, zonder aan te bellen. Misschien zijn ze toch niet thuis of ze horen de bel niet. Dan kan ze net zo goed niet bellen.

Als ze de flat uitloopt, ziet ze Rozemarijn al niet meer. Ze gaat voor de flat staan en begint rustig te tellen. Tien verdiepingen, met acht deuren, is tachtig deuren, is tachtig punten. Klaar!

Voor vanmiddag gaat ze een nieuw mooi plan bedenken.

7. De boodschappendienst

Nog één keer speelt ze voor boodschappendienst, dan is het mooi geweest, vindt Sarah zelf. Ze heeft vanmiddag al voor vier families in de straat boodschappen gedaan.

Nu belt ze aan bij mensen die ze niet kent. Achter de deur hoort ze joelende kinderen. 'Ik wil opendoen!'

'Nee, ik, jij doet altijd de deur open, mamaaa, Christel wil …'

Van verder weg klinkt een harde kreet, die Sarah niet kan verstaan. Dan vliegt de deur open en staan twee kinderen van een jaar of vier elkaar te slaan.

'Hallo, is jullie mama of papa thuis?'

Ze horen het niet, daar hebben ze het veel te druk voor. Hun handjes petsen en kletsen.

'Ophouden nu!' Sarah brult het bijna.

Met open mond kijken de kinderen haar aan en dan zet het jongetje het op een gillen: 'Mama, kom gauw.'

'Wat is er nou weer?'

De deur van de gang gaat open en een vrouw komt naar voren lopen met een baby'tje op de arm. Erg vriendelijk kijkt ze niet, Sarah heeft het idee dat ze stoort. Toch vraagt ze: 'Heeft u soms boodschappen te doen, mevrouw?'

'Waar ben jij van?'

'Van de boodschappendienst, ik doe boodschappen

voor mensen die zelf geen zin of geen tijd hebben.

'Je komt precies op het goede moment.' De vrouw wenkt: 'Kom binnen.'

Terwijl ze voor Sarah uit loopt naar de kamer, zegt ze: 'Ik dacht dat ik gisteren alle boodschappen had gedaan, maar vandaag miste ik toch nog een paar dingen. Je snapt dat ik met mijn kleine kinderen niet zo gemakkelijk weg kan. Ik zal een briefje voor je schrijven. Alle boodschappen die ik nodig heb, kun je bij de super halen. Even denken.' Ze begint te schrijven.

'Snoep, mammie.' Het jongetje is bij zijn moeder gaan staan en aait haar zachtjes over de wang.

'Geen sprake van, jullie snoepen al veel te veel, daar krijgen jullie slechte tandjes van.'

Het jongetje loopt weg en gaat in een hoek zitten mokken. Onder het schrijven zegt de moeder: 'Wat aardig van je om zomaar boodschappen te doen voor andere mensen.'

Sarah haalt haar schouders op en vertelt in het kort over de wedstrijd waarmee ze Kampioen Superbraaf kan worden. 'Ik kan er dus ook punten mee verdienen, maar ik doe het vooral om mensen te helpen.'

'Dat is mooi. Kijk, dit is het boodschappenlijstje en hier is het geld. Aan vijftien euro heb je zeker genoeg.'

Sarah pakt het briefje en het geld aan. 'Ik trek de voordeur wel achter me dicht.'

Als ze de super binnenkomt, kijkt ze meteen naar de kassa's. De blonde kassajuffrouw met de paarse lok is er gelukkig niet. Sarah doet dan wel goed werk, maar die geheime jury lijkt alleen de foute dingen te zien, waarbij je strafpunten kunt oplopen.

Ze heeft alle boodschappen zo gevonden, maar wat staat er een ellenlange rij voor de kassa. Millimetertje voor millimetertje schuifelt de band vooruit met boodschappen van de mensen vóór haar, het lijkt allemaal nauwelijks te bewegen.

Ze wipt van haar ene voet op de andere, en dan kan ze toch eindelijk ook haar spullen op de lopende band leggen.

Hé, dat is interessant: VAN … VOOR, ze kan nog niet zien wat het is, maar het is het kassakoopje. Ze buigt zich verder naar voren, een supervoordeelzak minichocoladereepjes. Ze zijn bijna voor niks, die kan ze niet laten liggen.

Die mevrouw zou ze vast ook zelf gekocht hebben. Ze legt de supervoordeelzak bij de andere boodschappen op de band.

Pas als ze buiten staat, weet ze dat ze iets stoms heeft gedaan. Die moeder vond toch al dat de kinderen te veel snoepten.

Het is beter dat Sarah er een paar snoepjes uithaalt, dat is alvast een beetje minder erg.

Langzaam loopt ze met de boodschappen het parkeerterrein van de winkel af.

'Hoi,' een zacht stemmetje naast haar: Aafje-Braafje.

'Hoi, wil je ook een chocoladereepje?'

'Eentje dan, het is niet goed voor mijn tanden, dank je wel.' Met twee vingers pakt Aafje het bovenste chocoladereepje.

'Neem er nog maar een paar, ik heb toch genoeg.'

'Nee hoor, dank je wel,' antwoordt Aafje.

'Ha, snoep,' Matthias is tussen hen ingedoken en begint meteen in de zak te graaien. Aafje is een stukje achteruit gedoken.

'Neem maar,' Sarah moedigt hem aan, maar dat is niet echt nodig, want hij heeft zijn hand al weer in de zak gestopt.

'Hoe kom je daaraan?'

Sarah wijst: 'Kassakoopje bij de super.'

'Dat bedoel ik natuurlijk niet, kun jij dat zomaar betalen?'

'Ik werk vanmiddag als boodschappendienst, voor andere mensen.'

'En dan snoep je de lekkerste boodschappen zelf op? Daar zullen die mensen blij mee zijn.'

'Dit was zo goedkoop, ik kon het niet laten liggen.'

'Dus je hebt het betaald met geld van die mensen?'

'Het is ook voor hen.'

Matthias wijst naar de zak, die er al niet vol meer uitziet.

'Ik ga het eerlijk zeggen.'

Aafje knikt en Matthias kijkt Sarah ongelovig aan: 'Zo dom ben je toch niet.'

Sarah bedenkt ineens dat ze zich wel in de nesten heeft gewerkt. Eerlijk zeggen, dat zou moeten, maar dat durft ze niet. Een halflege snoepzak afgeven, durft ze ook niet.

Die mevrouw zal het wel ontdekken, want het staat natuurlijk op de kassabon. Sarah haalt hem uit haar zak en ziet inderdaad meteen de minichocoladereepjes staan.

Oh, wat heeft ze nou gedaan? Ze heeft haar vingers gestrekt en daar is het kassabonnetje weggevlogen.

Even lijkt het papiertje nog een ererondje om hen heen te maken, dan gaat het toch de hoogte in.

Aafje wil er achteraan gaan, maar Matthias grijpt haar vast: 'Jij begrijpt er niet veel van.' Hij lacht naar Sarah: 'Jouw probleem is opgelost.'

Aafje snapt er zo te zien niets van, terwijl ze het braafste én slimste meisje van de klas is.

Sarahs probleem is inderdaad opgelost, maar toch kriebelen de chocoladereepjes een beetje in haar buik.

8. De zware tas van de juf dragen

Wat is er aan de hand? Plotseling beginnen een paar kinderen van Sarahs klas heel hard naar de parkeerplaats te rennen. Sarah zet het ook op een lopen. Achter zich hoort ze de stem van Rozemarijn: 'Waar ga je ineens heen, wacht op mij.'

Maar op het geteutebel van Rozemarijn kan Sarah niet wachten. Dadelijk mist ze het.

Wat 'het' is, daar heeft ze nog geen idee van, maar dat zal ze zo wel merken.

Haar klasgenoten zijn op een donkerblauwe auto afgestormd, die het parkeerterrein komt oprijden. Het is de auto van juf Jess.

De kinderen roepen en duwen en trekken. Ze stompen elkaar en duwen elkaar weg om er als eerste te zijn.

'Juf, juf, ik, nee, ik, juf, ik wil graag,' dat hoort Sarah. Ze blijft stilstaan, ze kan toch niet meer vooraan komen en ze heeft trouwens ook geen zin om een klap op te lopen. Net is Madelief uit de groep gekomen, haar hand tegen haar oog. Huilend zegt ze tegen Sarah: 'Jeroen heeft zijn elleboog in mijn oog gestompt, maar ik pak hem terug.'

'Wat doen ze daar allemaal?' Rozemarijn is naast Sarah komen staan.

Sarah haalt haar schouders op: 'Weet ik ook nog niet. O, toch wel, ze willen, zo te zien, allemaal de tas

41

dragen van juf Jess.'

Rozemarijn kijkt haar vragend aan.

'Om punten te verdienen, natuurlijk,' legt Sarah uit.

Joesoef heeft het gewonnen. Alsof hij een kostbare schat draagt, komt hij aanlopen met de zware tas van juf Jess. Die loopt er glimlachend bij en ze kijkt trots rond of ze de koningin zelf is. Alle andere kinderen druipen er achteraan, alsof ze een heel belangrijke wedstrijd hebben verloren.

Madelief geeft Jeroen een stomp terug in zijn rug en daarna port ze nog eens met haar knie tegen zijn achterste. Woest draait Jeroen zich om en slaat haar in het gezicht. Madelief zet het op een brullen.

Dit kost hun punten, dat weet Sarah zeker, al heeft juf Jess het niet gemerkt. Maar er zijn vast geheime juryleden die het allemaal gezien hebben.

Dadelijk hebben ze het middagkringgesprek. Dan nemen ze al hun goede daden door van het weekeinde en zullen ze horen hoe de puntenstand is geworden.

Sarah kijkt even of ze Aafje-Braafje ziet. Daar staat ze tegen de muur en ze leest een boek. Alsof ze voelt dat Sarah naar haar kijkt, slaat ze haar ogen op en glimlacht naar Sarah. Betekent het dat ze niet zal verklappen dat Sarah zaterdag heeft gesnoept van de minichocoladereepjes?

Sarah had de reepjes maar niet meer aan de mevrouw gegeven. Dan zou die gemerkt hebben dat de snoepzak al half leeg was. Omdat de kassabon ook weg was, wist die mevrouw niet eens dat er ooit een snoepzak was geweest.

De mevrouw was erg aardig geweest, ze had Sarah

50 eurocent willen geven voor al haar moeite. Sarah had dat geld echt niet willen aannemen.

'Als je nog eens boodschappen voor me wilt doen, graag, dan kom je gewoon langs,' had de mevrouw bij het afscheid gezegd.

Sarah weet dat ze dat nooit meer durft. Het klopt niet wat ze heeft gedaan en ze heeft er ook wel spijt van. Maar het ging allemaal zo vanzelf.

Als Aafje-Braafje het tegen de juf zegt en Sarah strafpunten oploopt, krijgt ze wel wat ze eigenlijk verdient. Toch wil ze graag de wedstrijd winnen, dus ze hoopt dat Aafje haar mond houdt.

Aafje glimlacht nog een keer naar haar, alleen kan Sarah niet zien of het een gemeen glimlachje is dat zegt: ik zal er straks eens lekker voor zorgen dat jij veel strafpunten krijgt.

Even later zitten ze allemaal stilletjes in de kring voor het middagkringgesprek.

'Laat ik maar beginnen met de strafpunten, van mezelf en van de geheime jury.' De juf haalt een lijst uit haar bureaula.

Telkens priemt haar vinger naar iemand uit de klas en met een vrolijk gezicht roept ze het aantal strafpunten. '65 strafpunten, 48 strafpunten.' Het woord 'straf' spreekt ze met een snerpende stem uit.

Niemand durft te vragen waarom hij of zij strafpunten krijgt en waarom zoveel. Sarah krijgt er 52. Zou een geheim jurylid dat snoepen en het kassabonnetje hebben gezien? En wat heeft de geheime jury nog meer van haar gezien? Zo vervelend was ze thuis toch

niet, gisteren en zaterdag?

Dan vouwt juf Jess het papier dicht: 'Hebben jullie er iets aan toe te voegen? Heeft iemand van jullie per ongeluk iets aardigs gedaan de laatste twee dagen? Ik kan het me nauwelijks voorstellen, maar vooruit. Of hebben jullie nog iets vervelends van elkaar gezien? Dat wil ik eigenlijk veel liever horen.'

Jeroen en Madelief steken hun vinger hoog op.

'Juf, juf,' roept Jeroen, Madelief probeert er nog bovenuit te komen: 'Juf, Jeroen …'

Ze vertellen allebei door elkaar wat de ander heeft gedaan. De juf kijkt van de een naar de ander alsof ze naar een spannende wedstrijd zit te kijken. 'Ik geef jullie ieder 75 strafpunten.'

'Jeroen is begonnen.' Sarah hoort aan Madeliefs stem dat ze het allemaal heel oneerlijk vindt.

'En jij kan niet tegen je verlies,' zegt de juf tegen Madelief.

Waar slaat dat nu op? denkt Sarah.

'Waar slaat dat nu op?' vraagt Matthias.

'Dat zijn voor jou 88 strafpunten, Matthias, met je brutale opmerking, ik weet heus wel wat ik doe.'

Matthias haalt zijn schouders op: 'Ik doe toch niet mee aan de wedstrijd.'

'Je krijgt er nog eens 35 strafpunten bij.'

Matthias haalt zijn schouders nog een keer op en glimlacht.

Sarah steekt haar vinger op: 'Ik heb zaterdag een paar goede dingen gedaan.'

'Het zal mij benieuwen. Maar als je die belcontrole-dienst bedoelt, vergeet het maar. Rozemarijn heeft me daarover verteld zaterdag.'

Sarah kijkt verbaasd, eerst naar Rozemarijn, dan naar de juf.

Die praat verder: 'Rozemarijn belde zaterdagmiddag bij mijn flat aan.'

Ai, domoor, kreunt Sarah vanbinnen. Waarom heeft Rozemarijn net de flat van de juf uitgekozen?

'Dat was natuurlijk gewoon ordinair belletje trekken. Alleen dacht jij slim te zijn, Sarah, en noemde je het anders. Omdat jij dit verzonnen hebt, krijg je er 40 strafpunten bij. Had je anders nog iets?'

Sarah zucht, denkt heel hard na. Is het slim om iets over haar boodschappendienst te vertellen? Ze heeft er toch vreselijk haar best voor gedaan? Alleen bij de laatste familie ging het mis. Zou Aafje klikken?

Sarah besluit om er helemaal niets over te zeggen, ze kan echt geen strafpunten meer gebruiken.

Ze schudt nee. Tevreden kijkt de juf de klas rond of verder iemand wat te melden heeft.

Aafje steekt haar vinger op. Zal ze nou toch gaan klikken, ook al vraagt Sarah er helemaal geen punten voor?

'Aafje, zeg het maar.'

'Ik wil nog iets melden van iemand.' Ze kijkt even naar Sarah. Alsjeblieft, niet doen, smeekt Sarah haar in gedachten.

Toe maar, knikt de juf met haar hoofd.

'Sarah heeft zaterdag de hele middag boodschappen gedaan voor andere mensen en …'

Niet zeggen, stop.

'… dat vind ik erg goed van haar. Ik vind dat ze

daar veel punten voor heeft verdiend.'

'Goed,' zegt de juf, 'vooruit, 28 bonuspunten, om jou een plezier te doen, Aafje.'

Aafje straalt, alsof ze de punten zelf heeft gewonnen.

9. Vastgebonden

Een dik touw gaat rond de boom en er komt een stevige knoop in. Sarah kijkt met open mond naar wat er gebeurt. Tussen het touw en de boom zit Madelief en ze schreeuwt moord en brand. 'Hou op, gekken, maak me los. Dadelijk kom ik te laat op school.'

'Dat is ook precies de bedoeling,' roept Jeroen over zijn schouder en hij lacht een beetje vals naar Jasper die heeft meegeholpen met het touw. Dan lopen ze hard weg. Ieder hebben ze nog een touw in hun handen. Wie zal hun volgende slachtoffer zijn?

Snel denkt Sarah na. Madelief staat derde, zij zelf is vijfde. Als Madelief strafpunten krijgt omdat ze te laat is, haalt Sarah haar misschien in. Sarah kijkt de andere kant op en doet of ze het geroep van Madelief niet hoort. Ze moet zelf gauw naar school en zorgen dat ze uit de buurt van de twee jongens blijft.

Als Sarah de hoek van de straat omgaat, lopen Jeroen en Jasper in dezelfde straat. Had ze nu maar de andere weg naar school genomen. Ineens zetten de jongens het op een lopen en stormen ze op iemand af. Ze weet bijna zeker dat het Aafje is.

Sarah duikt een zijstraat in. Ze hebben immers nog één touw over, zij heeft geen zin om ook vastgebonden te worden.

En de anderen dadelijk gaan losmaken? Dan komt ze zelf te laat, het wordt toch al hollen.

48

Als de bel gaat en ze hun plaats in de klas opzoeken, wordt snel duidelijk dat er een paar plaatsen leeg blijven. Jeroen en Jasper kijken lachend rond en zeggen: 'Madelief is er niet en Joesoef, en ohohoh, Aafje is te laat.'

Alle kinderen herhalen het alsof ze voortaan samen met één stem moeten doen: 'Aafje is te laat.'

'Aafje is te laat? Aafje is te laat! Nou en ... dat kan gebeuren,' zegt de juf, als ze binnenkomt.

Dan ziet ze de andere lege plekken en ze somt op: 'Madelief, Joesoef, Matthias, natuurlijk Matthias weer.'

Het was Sarah nog niet opgevallen dat Matthias ontbrak. Jasper en Jeroen kijken elkaar aan. Zouden ze Matthias ook hebben vastgebonden?

'Pak jullie rekenschrift en maak de sommen die hier op de achterkant van het bord staan.' Ze zwaait de flappen van de borden open.

Leeg, helemaal leeg. Ze schieten allemaal in de lach, maar de juf kan er niet om lachen.

'Wie heeft dit gedaan?'

Rozemarijn steekt haar vinger op. 'Ik moest gisteren na school toch het bord uitvegen en dat heb ik toen gedaan, alles netjes, zoals het hoort.'

'Niet de achterkant, sufkop.'

Sarah heeft een beetje medelijden met Rozemarijn, ze heeft het zo goed bedoeld.

'Je hoort vanmiddag hoeveel strafpunten deze domme actie jou oplevert.'

Sommige kinderen beginnen te lachen, die vinden het wel leuk dat weer iemand strafpunten krijgt.

'Maak nu allemaal som 12 tot en met 18 van bladzijde 38.'

'Dat is een nieuw onderwerp,' zegt Lieke. 'U heeft het nog nooit uitgelegd.'

'Dan zoeken jullie het zelf maar eens uit.'

Op dat moment wordt er heel zachtjes op de deur geklopt. De deur gaat voorzichtig open en Joesoef, Matthias, Aafje en Madelief komen binnen.

'Jullie zijn te laat,' schreeuwt de juf.

Dat weten ze zelf ook wel.

'Dat weten we zelf ook wel,' zegt Matthias.

'Extra strafpunten, Matthias.'

'Hoe komt het dat jullie te laat zijn, vertel op?'

Joesoef en Madelief wijzen allebei naar Jasper en Jeroen: 'Zij hebben ons vastgebonden aan een boom.'

Juf Jess glimlacht alsof ze dat leuk vindt. Zou ze eigenlijk niet van brave kinderen houden? Aan brave kinderen kan ze geen straf geven en dat is misschien wel wat juf Jess het allerliefste doet.

'Ik ben te laat opgestaan,' zegt Aafje.

'Ach, één keertje, daar doe ik niet moeilijk over. Jij bent zo vaak veel te vroeg.' Sarah begrijpt het niet, nou kan de juf strafpunten uitdelen en doet ze het toch niet.

Sarah ziet dat Jasper en Jeroen elkaar verbaasd aankijken en zelf snapt ze het ook niet. Die twee gingen toch achter Aafje aan met hun touw? Waarom verklikt ze de jongens dan niet? Ze hebben nu eenmaal iets verkeerds gedaan.

'En jij Matthias, zeker veel te lang in bed gelegen met je slaapkop.'

50

'Matthias heeft hen bevrijd, dat heb ik zelf gezien,' zegt Aafje. 'Dus hij heeft bonuspunten verdiend.'

'Dat dacht ik niet, hij is ook te laat. Maar vooruit, ik zal je geen strafpunten geven, Matthias. Dan kun je nog van geluk spreken.'

Aafje zucht: 'Dat vind ik onsportief.'

Sarah vindt Aafje dapper, ze durft toch maar zo tegen de juf in te gaan. Ze is niet meer het ja-knikkertje van anders.

Juf Jess kijkt verbaasd naar Aafje, maar zegt er niets over.

'Jullie horen vanmiddag wel bij het kringgesprek hoeveel strafpunten dit jullie oplevert,' zegt ze tegen Jasper en Jeroen. 'Wat onsportief dat jullie zo je best doen om anderen strafpunten te bezorgen.'

10. Het klikgesprek

'Waarom zei je niet tegen de juf dat Jasper en Jeroen jou ook hadden vastgebonden?'

Aafje haalt haar schouders op: 'Ze hadden al zo veel strafpunten en ik vond het eigenlijk wel grappig bedacht. Ik vind het alleen stom dat de juf mij geen strafpunten gaf. Anderen geeft ze ook meteen straf als ze te laat komen. Ik vind dat niet eerlijk.'

Sarah heeft geen idee waarom de juf Aafje voortrekt. 'Maar dat kan je toch zeker niet schelen, het is beter dan wanneer je altijd de schuld krijgt, ook als je het niet hebt gedaan.'

'Zoals Matthias,' knikt Aafje. 'Ik kan me wel voorstellen dat hij niet eens meer zijn best doet.'

Sarah en Aafje komen van de gymzaal terug in de school, ze mochten alvast springtouwen halen voor dadelijk in de pauze. Als ze voorbij de lerarenkamer komen, horen ze een vreemd geluid. Het lijkt op smakken, maar het klinkt veel harder, het zou bijna een slobberend varken kunnen zijn.

Ze bukken zich tegelijk en kijken dan onder het kiertje van de vitrage door naar binnen.

Juf Jess staat met haar rug half naar het raam. Sarah ziet een bolle wang en een hand die iets in de mond stopt, terwijl die al propvol lijkt.

Sarah en Aafje schieten tegelijk in de lach. Juf Jess draait zich helemaal om naar het raam en dan zien ze

dat de juf de andere helft van een slagroomgebakje in haar mond aan het proppen is. Er valt een klodder slagroom op de grond.

Ze duiken onder het raam en sluipen verder naar hun lokaal.

Als ze net binnen zijn, komt de juf ook terug. Ze veegt nog een keer met de hand langs haar mond en zegt dan: 'Berg jullie spullen maar op, de bel voor de pauze zal zo wel gaan.'

In de pauze staat Sarah met een groepje klasgenoten bij elkaar. 'We hebben nog twee dagen om punten te verzamelen. Maar jullie moeten ook een heleboel strafpunten wegwerken,' zegt ze tegen Jasper en Jeroen.

'Alsof jij geen strafpunten hebt,' kaatst Jeroen terug.

Ze hebben bijna allemaal hartstikke veel strafpunten. Vanmiddag zal de juf bij het kringgesprek de tussenstand wel vertellen. Morgenmiddag hebben ze vrij. Sarah moet een goed plan zien te bedenken voor de woensdagmiddag. Van Aafje winnen, dat zal niet lukken, maar de tweede en derde prijs zijn ook heel leuk. Het zou anders wel heerlijk zijn als ze voor haar familie dat weekeinde zou winnen. Zo vaak gaan ze niet samen weg. Ze gaat nog harder haar best doen.

'Dadelijk hebben we weer het klikgesprek.' Matthias loopt Sarah voorbij, de klas in. Sarah schiet in de lach. Matthias zit nergens mee, hij hoeft zich ook niet zenuwachtig te maken voor de wedstrijd.

'Jongens en meisjes, ik heb een hartig woordje met jullie te spreken. Vanmorgen is er uit de lerarenkamer een gebakje ontvreemd.' Wat zegt de juf dat plechtig.

'Ontvreemd?' vragen een paar kinderen tegelijk.

'Ontvreemd wil zeggen: weggehaald. Juf Hanna zou trakteren voor haar verjaardag en de gebakjes stonden al klaar voor de pauze. Toen de pauze begon, was er een gebakje weg, alleen de kers lag nog in de gebaksdoos. Het is natuurlijk niet leuk, als een van de leerkrachten geen gebakje krijgt. Afijn, ik heb mezelf opgeofferd, ik hoefde er geen. Ik heb mijn collega's beloofd dat ik deze zaak tot op de bodem zal uitzoeken. Nu wil ik horen wie de dader is van deze laffe diefstal. Zelf heb ik er wel een idee over, maar ik geef de dader de kans om het zelf op te biechten.'

Even is het stil. Sarah merkt dat haar mond opengevallen is. Dat de juf zo brutaal en gemeen is, dat had ze niet verwacht.

'Ik heb het gedaan.' Aafje heeft het zachtjes gezegd en ze steekt haar vinger een klein stukje op.

'Dat is niet waar, Aafje,' zegt Sarah en dan zwijgt ze. Moet ze er achteraan zeggen dat de juf het zelf heeft gedaan?

'Nee, Aafje, dat is niet waar. Je krijgt 60 bonuspunten, omdat jij de schuld op je neemt in plaats van Sarah.'

Sarah, zegt ze? Heeft Sarah dat goed verstaan?

'Sarah, jij krijgt 60 strafpunten. Je hebt het straks gedaan toen je met Aafje die springtouwen ging halen in de gymzaal. Je hebt Aafje vast gedwongen om te zeggen dat zij het had gedaan. Wacht, ik geef je er nog

30 strafpunten bij, ik vind zoiets extra gemeen.'

'Maar juf …' Aafje en Sarah zeggen het tegelijk.

'Nu allebei je mond houden. De anderen zijn natuurlijk benieuwd hoe de tussenstand van de wedstrijd is, of niet?'

'Ja, ja,' schreeuwt iedereen.

Sarah houdt haar mond, ze weet ook niet wat ze moet zeggen. Het klopt niet, het is zo gemeen. Maar juf gaat over de punten, want juf is de baas.

Sarah heeft nog twee dagen de tijd om al die strafpunten weg te werken. Op dit ogenblik heeft ze niet het idee dat het gaat lukken.

Hoe kan ze ooit Kampioen Superbraaf worden?

Maar die superprijs wil ze wel winnen voor haar familie.

Ze moet nog beter haar best gaan doen!

11. Een optocht van goede daden

Het lijkt wel een carnavalsoptocht. Sarah komt net bij het bejaardenhuis aan met een bosje bloemen dat ze naar mevrouw Kruiskamp wil brengen. Ze heeft toch spijt gekregen dat ze vorige week niet echt leuk heeft gewandeld met die lieve mevrouw Kruiskamp.

Uit de draaideur van het bejaardenhuis rolt de ene rolstoel na de andere. Zitten daar zo veel bewoners in een rolstoel? Joesoef, Lieke, Jeroen, Adriaan en Madelief komen naar buiten, ze duwen allemaal een rolstoel met een oudere. Ze hebben háár idee gestolen van de bejaardenwandeldienst.

En daar neemt ook iemand háár mevrouw Kruiskamp mee. 'Adriaan, dat is mijn mevrouw.' Ze gaat voor de rolstoel staan en pakt mevrouw Kruiskamp vast. 'Dag mevrouw Kruiskamp, kijk eens wat ik voor u heb meegebracht, een lief bosje bloemen.'

'Waar heb je die geplukt?'

Waar bemoeit Adriaan zich mee? Ze heeft het uit een voortuin geplukt, maar die mensen hadden toch heel veel bloemen dubbel. Als er te veel planten op een kluitje staan, groeien ze niet goed.

'Daar heb jij niks mee te maken.' Ze werpt een boze blik op Adriaan en draait meteen haar allerliefste gezicht naar mevrouw Kruiskamp. 'Mooie bloemen, hè? Zo, nu gaan we weer net zo lekker wandelen als

57

de vorige week. Het is nog heerlijker weer.'

Mevrouw Kruiskamp raakt de bloemen in haar schoot voorzichtig aan.

Sarah pakt de rolstoel met beide handen vast en draait hem weg. De handen van Adriaan omklemmen haar handen.

'Au, ga weg, ík ga met mevrouw Kruiskamp wandelen, dat doe ik elke week. Haal zelf maar een andere bejaarde, wegwezen.'

Tot haar verbazing druipt Adriaan meteen af, hij verdwijnt door de draaideur naar binnen. Er komt een oude man naar buiten met een rollator.

'Waar gaan jullie allemaal heen?' vraagt hij aan Sarah.

'Een eindje lopen.'

'Mag ik gezellig mee?'

'Goed.'

De man knikt haar blij toe en draait langzaam het loopkarretje in hun richting.

Voor haar uit gaan de andere kinderen met de rolstoelen. Het lijkt wel een optocht van goede daden. Sarah heeft geen idee waar zij naartoe gaan. Zelf wil zij in elk geval langs de flat van de juf lopen, dus gaat ze meteen die kant uit.

De man naast haar loopt erg langzaam. Eerst doet Sarah nog haar best om langzamer te wandelen, maar dat schiet niet op.

'Ik loop alvast door,' zegt ze even later tegen de man. Hij vindt het vast niet erg, dan kan hij in zijn eigen tempo kuieren. Mevrouw Kruiskamp knikkebolt, die merkt het vast niet als Sarah er flink de vaart

in zet. Bijna hollend komt Sarah aan bij de flat van de juf.

'JOEHOE,' gilt ze. Mevrouw Kruiskamp schiet geschrokken omhoog. 'Wat gebeurt er allemaal?'

'Kijk, daar is mijn juf, zwaait u maar.'

Dan hoort Sarah achter zich kreten, hollen, geratel. Bijna de halve klas zit haar op de hielen. De anderen hebben ook ontdekt dat het slim is om de juf hun goede daden te laten zien. Helemaal achteraan komt de man achter zijn rollator. Hij staat stil en Sarah gaat naar hem toe. 'Komt u maar mee, ik duw u wel, dan gaat het sneller.'

Want dadelijk is de juf weg bij het raam. Als Sarah twee ouderen helpt, krijgt ze vast dubbel zo veel punten.

De anderen hebben de juf ook zien staan, en zwaaien. Sarah loopt achter de man met de rollator, tot die ineens stijf blijft staan.

'Ik vind er niks aan, al dat racen van jullie. Ik ga terug.'

'Nog even, enkele stapjes maar, daarna gaan we terug.'

Maar de man is niet om te praten, hij duwt haar weg en draait zijn rollator om. Op zijn dooie akkertje kuiert hij weg.

Juf Jess staat al niet meer voor het raam. Als ze Sarah niet eens heeft gezien, is al haar moeite voor niets geweest.

Ze gaat gauw een ander plan verzinnen, de vrije woensdagmiddag is nog niet om.

'Wat doen jullie hier?' Rozemarijn komt aanlopen.

'Onze bejaardenwandeldienst, dat weet je toch. Maar je komt precies op tijd, alsjeblieft.' Ze duwt de handvatten van de rolstoel in Rozemarijns handen. 'Dan mag jij vanmiddag met mevrouw Kruiskamp gaan wandelen. Ik moet nu weg, andere goede daden doen. Doei, en dag, mevrouw Kruiskamp. Niet vergeten om de mooie bloemen straks in de vaas te zetten.'

12. Laatste kans

'Vandaag is jullie laatste kans. Morgenmiddag maak ik de uitslag bekend. Dan wordt duidelijk wie Kampioen Superbraaf is.'

Eigenlijk kan het Sarah niet echt meer schelen. Ze kan die wedstrijd waarschijnlijk toch niet winnen.

De juf heeft net gezegd dat de geheime jury gisteren heel actief is geweest. 'Ze waren overal, en ze hadden hun ogen niet in hun zak. Alle stoute dingen hebben ze gezien, reken maar.'

'De goede dingen toch zeker ook?' had Rozemarijn een beetje benauwd gevraagd.

'Die ook,' had juf Jess gezegd. Rozemarijn had opgelucht gekeken en Sarah begreep dat wel. Rozemarijn had maar liefst tot halfvijf met mevrouw Kruiskamp rondgereden. 'U moet het maar zeggen als u er genoeg van heeft,' had Rozemarijn een paar keer gezegd. Maar al die uren had mevrouw Kruiskamp niets gezegd, tot Rozemarijn pijn aan haar voeten kreeg.

Vanmorgen had ze het allemaal tegen Sarah verteld: 'Toen heb ik haar gewoon toch teruggebracht. Ik had blaren onder mijn voeten van al het lopen en zij zat daar maar lekker te zitten in die rolstoel.'

De halve middag had Sarah lopen bedenken wat ze nog voor aardige dingen zou kunnen doen. Papa en mama waren niet thuis, dus die kon ze ook niet om klusjes vragen. Hoe zou ze er nu meer punten bij kunnen krijgen?

Op nummer één in de tussenstand stond natuurlijk Aafje, maar verder had bijna iedereen evenveel punten. Of even weinig eigenlijk. De meesten hadden niet meer dan vijf punten. Dat kwam door alle strafpunten die ze hadden opgelopen. Aafje had maar liefst 598 bonuspunten; ze was niet meer in te halen.

Maar voor die andere prijzen konden ze nog wel hun best doen.

Ten slotte had Sarah besloten om de rest van de woensdagmiddag gewoon thuis te blijven en een boek te lezen. Dan kon ze in elk geval ook geen strafpunten oplopen.

Of zou een geheim jurylid hebben gezien dat ze de halve koektrommel had leeggesnoept en dat ze Renzo een klap had verkocht? Maar haar oudere broer deed vervelend, dat zou zo'n jurylid toch ook meetellen? Ze had na die klap wel meteen rondgekeken of ze een geheim jurylidhoofd zag wegduiken buiten bij het raam. Maar er was niets te zien.

'Vandaag is het dus jullie laatste kans om de wedstrijd te winnen,' herhaalt de juf.

Sarah ziet dat iedereen rechtop gaat zitten, alsof ze zo meteen starten voor een belangrijke wedstrijd.

'Pak allemaal jullie aardrijkskundeschrift en maak de opdracht van bladzijde 17 op het losse antwoordblad. Ik haal het werk straks op. Het telt zwaar mee voor het rapport, en netheid tel ik extra mee voor de wedstrijd. Ik wil niets van jullie horen.'

Juf gaat het lokaal uit. Even is het stil, tot er een

63

kras over een papier klinkt, en dan weer één.

Ludovic en Joesoef krassen op elkaars blad en dan klinkt er gefrommel van papier. Met een groot gebaar verfrommelt Madelief de opdracht van Jeroen. Die scheurt een bladzijde uit Madeliefs schrift.

Ineens vliegt er een pakje vruchtendrank door de klas en het spat tegen het bord uiteen.

Plotseling, alsof ze het hebben afgesproken, stappen een paar kinderen op Aafje af. Ze kijkt verschrikt op, zij zat als enige nog aan haar opdracht te werken. Madelief pakt haar schrift, Mehmed haar blad en Jasper pakt haar pen. 'Netjes werken, hè,' roept Petra, 'jij werkt altijd netjes, jij maakt nooit fouten, maar nu wel.'

Dit vindt Sarah niet eerlijk. 'Aafje heeft tenminste nooit iemand verklikt,' zegt ze en ze is al op de anderen afgestormd. Ook Matthias is erbij komen staan: 'Blijf van Aafje af, ze doet niemand kwaad.'

De anderen leggen de spullen op de tafel terug, al zet Jasper eerst nog wel een krasje op het papier. Madelief maakt voorzichtig een ezelsoor in het schrift van Aafje.

'Heerlijk, het regent weer strafpunten vanmiddag bij het kringgesprek.' De deur is opengezwaaid en juf Jess staat te stralen.

13. Kampioen Superbraaf

'Om drie uur pas, ik hou het nog even spannend.' Dat heeft juf Jess de hele dag gezegd, als weer iemand vroeg of ze de uitslag al wilde vertellen.

Wie Kampioen Superbraaf wordt, is wel duidelijk. Maar de winnaars van de tweede en de derde prijs, dat is een verrassing.

De grote wijzer van de klok kruipt naar de twaalf. Twee minuten nog. Juf heeft grote vellen papier voor zich met alle punten van de hele klas.

Bij het middagkringgesprek heeft de juf wel punten uitgedeeld, maar ze wilde niet meer vertellen hoe de stand was. 'Dan is de verrassing er straks af.'

Sarah heeft er geen idee meer van hoeveel punten ze heeft, maar ze weet bijna zeker dat ze meer strafpunten dan bonuspunten heeft.

Nog één minuut. De klas is doodstil, iedereen kijkt naar de juf die een brede glimlach om haar mond heeft.

Het is ook zo moeilijk om altijd maar braaf te zijn. Niemand van de klas is dat gelukt, zelfs Aafje niet. Zij heeft minstens een paar keer gejokt, maar dat weet de juf niet.

Sarah heeft toch echt haar best gedaan om braaf te zijn, maar op de een of andere manier kwam er dan telkens weer iets tussen. Alsof een stemmetje binnen in haar even de baas speelde: Ach, je kunt niet altijd

braaf zijn. Altijd braaf is saai. Eén koekje nemen is toch niet erg. Maar dat stemmetje zei dat woensdagmiddag wel vaak achter elkaar.

'Ja,' bijna alle kinderen roepen het tegelijk op het ogenblik dat de grote wijzer op de twaalf springt.

Heel langzaam legt juf Jess de vellen papier netjes. 'Ik begin met de nummer één. Gewonnen met maar liefst 612 punten. Kampioen Superbraaf is ....'

'Aafje.' Ze hebben het tegelijk gezegd, de juf en de hele klas, behalve Aafje natuurlijk. Aafje kijkt niet eens blij. Het is voor haar ook zo gewoon om braaf te zijn.

'Ik vertel straks nog wat meer over de prijzen, eerst ga ik verder met de uitslag. De rest van de klas zit bijna allemaal in de min, bijna iedereen heeft meer strafpunten gekregen dan bonuspunten. Het valt me zwaar van jullie tegen, zo moeilijk is het toch niet om aardig, vriendelijk en behulpzaam te zijn.'

De hele klas zucht, Sarah ook.

'Nummer twee heeft nog net een paar punten overgehouden: vier punten, de tweede prijs is voor … Matthias.'

'Hè?' Iedereen in de klas is stomverbaasd. Matthias deed niet eens mee aan de wedstrijd.

'Ik deed niet eens mee aan de wedstrijd,' Matthias haalt zijn schouders op.

Helpt het misschien als je niet zo je best doet? Als je het niet belangrijk vindt om te winnen, zoals Matthias.

'De derde prijswinnaar zit wel in de min, maar dat was dan nog heel goed tegenover de anderen. Met acht minpunten gaat de derde prijs naar Sarah.'

Ze snapt het niet, de juf heeft vast een telfout gemaakt. Of heeft de geheime jury de laatste dag dan allemaal goede dingen gezien?

'Nu heb ik nog iets grappigs te zeggen over de prijzen,' zegt de juf. 'De derde prijs: voordat je bij me komt eten, mag je zeggen wat je het meest vieze eten vindt.' Ze kijkt Sarah aan.

Sarah maakt het lijstje al in haar hoofd: doperwtjes, pasta en hamburger. Veel kinderen smullen ervan, Sarah niet.

'Van wat je het meest vieze eten vindt,' de juf gaat langzaam verder, 'mag je dan onbeperkt eten. Zoveel als je wilt,' lacht ze.

Een bord boordevol doperwtjes, slierten pasta tot over de rand en een supergrote hamburger; Sarah gruwt bij het idee.

Dan wordt ze boos, wat is dat voor een rare prijs, en dat de juf daar ook nog lol om heeft. Ze wil het allemaal zeggen, maar de juf gaat al door met de tweede prijs. Het uitje voor Matthias is wel leuk.

'Matthias, jij mag naar de speeltuin vijf mensen meenemen, maar alleen,' juf wacht even, 'de mensen aan wie je een hekel hebt.'

'De juf,' fluistert Sarah en achter haar hoort ze het nog een paar kinderen zacht zeggen.

'De hoofdprijs is, zoals ik al heb gezegd, een luxe verblijf van drie nachten voor vier personen in … een luchtkasteel.'

Juf Jess barst in lachen uit en ze blijft lachen.

Ze is de enige.

Ze houdt pas op als de bel gaat. Allemaal lopen ze de klas uit en zeggen niets.

Sarah kijkt om voordat ze deur uit loopt en ziet dat de juf weer onbedaarlijk zit te lachen.

Buiten de poort blijven alle kinderen van de klas staan. 'Wat een stomme prijzen, doen we daar ons best voor. Ze is gek geworden,' roepen ze allemaal door elkaar.

Ze houden hun mond pas als ze ineens de zachte stem van Aafje horen. 'We moeten de juf een lesje leren. Het is zo gemeen wat ze heeft gedaan. Die rare wedstrijd, stomme prijzen, en wat hebben we ermee gewonnen? Niets. We hebben gelogen, vervelend gedaan tegen elkaar, we zijn zelfs minder braaf geweest dan anders.'

'Jij toch niet, Aafje?' zegt Sarah.

'Misschien niet, maar dat komt nog. Ik heb net een plannetje bedacht en dat gaan wij uitvoeren, wij, de braafste kinderen van de klas.' Ze pakt Sarah en Matthias bij de schouders. 'Kom morgenmiddag naar mij toe, dan vertel ik jullie er alles over. En júllie merken het maandag vanzelf wel,' zegt ze tegen de andere kinderen.

Sarah en de anderen kijken Aafje met open mond aan. Dit meisje lijkt helemaal niet meer op Aafje-Braafje. Sarah kan bijna niet wachten tot morgen. Onbeperkt doperwten, pasta en hamburger eten, jakkes. De juf zal gelukkig haar verdiende loon krijgen.

14. De liefste juf van de wereld

'Goedemorgen, Sarah, wat een leuke haarspeld heb je in.' Juf Jess geeft een zacht tikje op haar hoofd.

Sarah schrikt er een beetje van, maar de juf kijkt haar heel vriendelijk aan.

'Hé, Joesoef, wil je me in de pauze eens laten zien hoe die gameboy werkt? Ik wil het graag leren, het lijkt me grappig. Leg je hem wel dadelijk in je tafeltje als we met de les beginnen, alsjeblieft.'

De juf die 'alsjeblieft' zegt, de juf die vriendelijk met hen praat. Zou hun plan nu al werken?

Het valt niet alleen Sarah op, ze merkt dat ook de andere kinderen verwonderd kijken. Stil gaan ze allemaal zitten wachten tot de juf begint te praten.

'Goedemorgen allemaal. Ik hoop dat jullie een goed weekeinde hebben gehad. We gaan er samen een leuke week van maken.

Maar om te beginnen kom ik nog even terug op de wedstrijd van Kampioen Superbraaf. Ik moet iets bekennen: die geheime jury bestond niet, die had ik verzonnen, zodat jullie nog meer je best zouden doen. Dat gestolen gebakje, waarvan ik jou de schuld gaf, Sarah, had ik zelf opgesnoept. Het spijt me.

En eigenlijk was die hele wedstrijd een stom idee van me. Ik was zo bang dat jullie drukke, vervelende kinderen zouden zijn. Ik weet best dat het onmogelijk

is om altijd maar braaf te zijn. Natuurlijk moet je wel je best doen. Ik had gewoon zin om jullie te treiteren, ik weet ook niet waarom. Want eigenlijk ben ik heel aardig. Vanaf nu ga ik het heel anders doen.'

Muisstil luistert de hele klas. De anderen begrijpen er niets van, maar Sarah weet hoe het komt dat de juf zo anders doet. Het werkt, het plan van Aafje werkt.

'Dat ik anders wil zijn, heeft trouwens niets te maken met dit.' De juf haalt een papier uit haar tas, het is een print van een e-mailbericht. Hun e-mailbericht, Aafje, Matthias en zij hebben het zaterdagmiddag verstuurd. Natuurlijk hebben ze hun namen er niet bij gezet.

'Ik ga meedoen aan deze wedstrijd: wie is de liefste juf van de wereld? Ik zal het voorlezen.

Maandag 12 maart begint de wedstrijd van de liefste juf van de wereld. Een geheime jury deelt bonuspunten en strafpunten uit. Op 21 maart wordt de prijswinnares bekend. Maar ook daarna blijft de geheime jury nog actief, de juryleden blijven alles in de gaten houden. Want een liefste juf duurt langer dan alleen een wedstrijd. Wat de prijs is, blijft nog geheim.'

Juf Jess legt het bericht weg. 'Reken maar dat ik mijn best ga doen. Of eigenlijk hoef ik niet eens mijn best te doen, want ik ben van mezelf al heel aardig.'

Sarah ziet verbaasde blikken door de klas gaan: is de juf gek geworden? Barst de juf dadelijk toch weer uit in boze woorden? Houdt ze het langer dan een halve minuut vol om vriendelijk te zijn?

'Jullie mogen vandaag beslissen wat we het eerst gaan doen. Kies allemaal maar iets wat je leuk vindt en dan gaan we daarover stemmen. Dat is het eerlijkst, en eerlijkheid, daar houd ik nu eenmaal van. Ik vind het belangrijk dat jullie het naar je zin hebben in de klas.'

Sarah kijkt naar Matthias en Aafje. Ze steken hun duim op naar elkaar. Hun plan werkt echt. Zij hebben voortaan de liefste juf van de wereld.